don Qui
La historia según Sancho Panza

Cover and Chapter Art by Robert Matsudaira

by
Katherine Lupton

Edited by
Carol Gaab & Carrie Toth

ISBN: 978-1-64498-071-2

Fluency Matters, P.O. Box 11624, Chandler, AZ 85248

info@FluencyMatters.com • FluencyMatters.com

A Note to the Reader

This Comprehension-based™ reader is based on the original Miguel de Cervantes story *'Don Quijote de La Mancha'*. Unlike the original work, this story is told through the voice of Sancho Panza, don Quijote's friend and squire.

The language structures used to tell the story were specifically selected to *comprehensify* the text and reflect Spain's dialectal variation in the language. The story contains a manageable number of high-frequency words in Spanish and numerous cognates (words that are similar in two languages), making it an ideal read for advanced-beginning language learners.

All vocabulary used to tell the story is listed in the glossary. Keep in mind that many verbs are listed in the glossary more than once, as most appear throughout the book in various forms and tenses. (Ex.: I go, he goes, let's go he went, etc.) Language that would be considered beyond a novice level is foot-noted within the text, and the meaning given at the bottom of the page where the expression first occurs.

We hope you enjoy the story and laugh all the way to FLUENCY!

Índice

MAIN CHARACTERS:

don Quijote - main character whose real name was don Quijano. He changed his name to *don Quijote de La Mancha* when he decided to become a knight.

Sancho Panza - don Quijote's neighbor, a stout and uneducated man. Panza actually means 'belly.'

Dulcinea del Toboso - name given to Aldonza by don Quijote when he made her his princess. Dulcinea is the object of don Quijote's affection, although she never actually appears in the story.

Capítulo 1

Don Loco de La Mancha

– Ya me voy –le dije a mi esposa.

– ¡¿En serio, Sancho Panza?! ¿Te vas con un loco? –me respondió ella.

– No, no me voy con un loco. Me voy con don Quijote.

– ¿Don Quijote? –me respondió ella riéndose–. Ja, ja, ja… Se llama don *Quijano* y ¡se ha vuelto completamente loco!

– Como ya sabes, ¡ahora se llama don Quijote!
¡Y no está loco! Es un hombre muy interesante
e inteligente. Lee mucho y…

Mi mujer me interrumpió y no me permitió seguir
hablando. Era el momento más emocionante de mi vida
y ella no respetaba mi decisión.

– Está loco y es por leer todos esos libros. Don
Quijano pasa todos los días leyendo libros. Ya
no puede distinguir la realidad de la fantasía.

Era verdad que don Quija… aaa… don Quijote leía
mucho. Pero era una persona interesante, no un loco. Mi
mujer tenía otra opinión y continuó con su asalto verbal:

– Todo el pueblo está hablando de *'el loco don
Quijano'*. Su sobrina y su empleada lo confirmaron. Se ha vuelto loco... ¡Completamente
loco!

– Solo son rumores –le respondí defendiendo el
honor de don Quijote.

Había un rumor circulando por el pueblo: don Quijano había pasado una noche entera leyendo un libro
sobre un valiente caballero[1]. Leyó toda la noche… y, después de leer y de no dormir, tuvo un… mmm… un… episodio raro. Don Quijano estaba convencido de que él

[1]*sobre un valiente caballero - about a brave knight*

también era un caballero. Estaba convencido de que era un caballero similar al caballero del libro.

Así empezó la misión de don Quijano para convertirse en un valiente caballero. Él estaba convencido de que necesitaba la armadura[2] de un caballero. Buscó una armadura por toda la casa. Buscó por unas horas y, por

[2]*armadura - armor*

fin, encontró la armadura de su bisabuelo[3]. Obviamente, la armadura era antigua[4], pero a don Quijano no le importaba. Reparó la armadura y, entonces, continuó con su misión.

Don Quijano quería tener un caballo impresionante como los de los caballeros de los libros. Ya tenía un caballo, pero no tenía un caballo impresionante. El caballo de don Quijano era como un esqueleto. Su caballo no

[3]*bisabuelo - great-grandfather*
[4]*antigua - old*

era un caballo impresionante, pero para don Quijano eso no era importante. La forma de su caballo no era importante porque su caballo podía tener... ¡un nombre impresionante! Don Quijano decidió darle el nombre de un caballo famoso. Le dio el nombre de 'Rocinante'.

Don Quijano también quería tener un nombre impresionante, un nombre importante. Él pensó por un momento en el nombre perfecto. Decidió que el nombre perfecto para un valiente caballero sería 'don Quijote de La Mancha'. Era un nombre lógico porque él vivía en La Mancha.

En mi opinión, don Quijote no estaba loco. Se había convertido en un hombre interesante y valiente. También era muy persuasivo. Yo estaba convencido de que él iba a tener una gran aventura. ¡Y quería ir con él!

- ¡Sancho Panza! –exclamó mi mujer, nerviosa–. ¡¿Tú también estás loco?! Don Quijano no te invitó… ¿Vas a seguir a un hombre que está convencido de que realmente es un caballero?

- Sí, le voy a seguir. Don Quijote quiere escapar de su vida normal, y yo también quiero una aventura. En mi opinión, no está loco –le respondí.

- Su sobrina dice que no come ni duerme… que

solo lee su enorme colección de libros. Ella
dice que él está convencido de que es un caballero y de que ¡necesita una princesa!

Don Quijote pensaba que para ser un impresionante
caballero, necesitaba una princesa. En el pueblo del Toboso, vivía una mujer que se llamaba Aldonza. En realidad Aldonza no era atractiva, pero en la opinión de don
Quijote, ¡era muy bella! Don Quijote se imaginó que Aldonza era su princesa. *«Aldonza es un nombre muy simple»*, pensó don Quijote y decidió darle un nuevo
nombre. Le dio el nombre de 'Dulcinea del Toboso'.

– Don Quijano está viviendo en una fantasía...
en una fantasía de un libro –me dijo mi mujer
exasperada–. Él es adicto a los libros, y su sobrina ¡quiere destruirlos todos!

– Mujer, estoy decidido. Me voy a una gran
aventura con don Quijote y esta es mi decisión
final –le respondí y, contento, me fui.

Capítulo 2
El castillo

Cuando llegué a la casa de don Quijote, todos estaban frenéticos.

– ¿Qué pasa? –le pregunté a la empleada–. ¿Don Quijote está bien?

– ¡Se llama don Quijano! –me respondió la empleada irritada–. ¡Y no, no está bien! ¡Ha desaparecido! Salió con su armadura y su caballo.

– ¡¿Ha desaparecido?! –le pregunté sorprendido.

La empleada parecía muy agitada. Le dije:

– Voy a ayudarle, señora.

Corrí hacia mi burro y miré por todas partes. Decidí seguir el camino[1] principal para buscar a don Quijote.

Pasé todo el día montado en mi burro. Cuando por fin llegué al hotel más grande de La Mancha, estaba exhausto. También quería comer, pero era más importante buscar a don Quijote en el hotel. Hablé con las otras personas, pero ni una sola persona le había visto en el hotel.

Decidí comer… y pensar. *«¿Don Quijote siguió otra ruta?»*, me pregunté.

Después de una hora, escuché una conmoción enfrente del hotel. Un hombre y su caballo habían llegado al hotel. El hombre tenía una armadura y parecía que era un hombre muy importante. El propietario[2] del hotel salió para hablar con el hombre. Curioso, yo escuché atentamente.

– Buenas noches, señor –le dijo el hombre al propietario–. Soy don Quijote de La Mancha. Este castillo es magnífico. ¿Es su castillo?

«¡Excelente!», pensé. *«Don Quijote ya llegó»*.

[1]*camino - road, path, way*
[2]*propietario - proprietor, owner*

– Señor, esto no es un castillo –le respondió el propietario como si estuviera hablándole a un loco–. Esto es un hotel y yo soy el propietario –le respondió.

– ¡Sé que eso no es verdad! –exclamó don Quijote riéndose–. Es obvio que esto es un castillo magnífico y que esas bellas mujeres son las princesas del castillo.

El propietario miró a las dos las mujeres que trabajaban enfrente del hotel. Entonces, miró al hombre excéntrico[3].

– Mire buen hombre –le respondió el propietario con un tono irritado–, esto no es un castillo y esas mujeres no son princesas.

– Dígame la verdad –le respondió don Quijote–. Yo sé que es un castillo y necesito un favor del rey del castillo. Usted es el rey del castillo, ¿verdad?

– ¿Yo? ¿El rey de un castillo? –le respondió el propietario, riéndose de esa idea ridícula–. ¡Sí, don Quijote! Yo soy 'el rey' de este castillo.

– Mire señor, necesito su ayuda. ¡Busco una orden de caballería porque voy a ser un caballero importante! –le dijo don Quijote.

– Bueno... como soy 'el rey' de este castillo –le repitió el propietario, riéndose–, podría darle una orden de caballería, pero en este momento no puedo. Tiene que esperar.

[3]excéntrico - eccentric, someone who behaves strangely

11

En ese momento era obvio que don Quijote estaba muy feliz.

> – Muchas gracias. No voy a dormir. Voy a esperar en el patio del castillo –le dijo don Quijote al propietario.

> – Bueno. ¡Lo que usted quiera, 'caballero'!

Yo quería hablar con don Quijote, pero también quería dormir. Así que decidí irme a dormir.

¡Solo había dormido una o dos horas cuando escuché una conmoción en el patio del hotel. *«¡Don Quijote!»*, pensé. Corrí al patio con muchas otras personas que también habían escuchado la conmoción. En el patio, don Quijote tenía un conflicto con dos hombres. Escuché una conversación ridícula:

> – Ahora, espero tu declaración. Repite: «Dulcinea es la mujer más bella del mundo».

> – Está loco. Yo no voy a decir eso –gritó uno de los hombres.

De repente, el propietario del hotel salió al patio y, furioso, les gritó:

> – ¡Por favor, hombres! ¡No quiero conflictos en mi hotel! Los clientes quieren dormir, pero con esta conmoción,les es imposible.

El propietario del hotel no quería más conflictos con don Quijote. Pensaba en una solución y... tuvo una idea:

> ¡Vamos a hacer la ceremonia de la orden de caballería ahora y, después, usted puede salir!

> – ¡Excelente! –le respondió don Quijote con entusiasmo–. Es el momento perfecto. Todas estas personas están aquí para ver la ceremonia. ¡Gracias, señor! –le dijo don Quijote.

La ceremonia empezó y el propietario habló rápidamente: «Don Quijote, le quiero hacer un verdadero caballero… bla, bla, bla... Ahora usted es el gran caballero 'don Quijote de La Mancha'». En un minuto, la ceremonia de la orden de caballería estuvo completa. El propietario miró a las personas en el patio y anunció:

– ¡Don Quijote de La Mancha, ahora es un caballero oficial! ¡Ahora tiene que salir de este castillo. ¡Muchas aventuras le están esperando!

Don Quijote, ahora convertido en un caballero de verdad, nos miró a todas las personas en el patio y nos dijo:

– Gracias a todos. Voy a tener una gran aventura en honor a mi princesa, Dulcinea del Toboso, la mujer más bella del mundo.

Entré en pánico cuando vi que don Quijote estaba a punto de salir. ¡Yo quería ir con él! Fui hacia mi burro pensando: *«Ahora que don Quijote es un caballero oficial, él puede tener una verdadera aventura en honor a Dulcinea».* Corrí hacia mi burro para seguir a mi vecino, pero don Quijote ya había desaparecido.

Capítulo 3
La promesa

Pasé muchas horas en mi burro, siguiendo a don Quijote. No podía ver a don Quijote en la distancia, pero sí podía ver por dónde había caminado su caballo, Rocinante. Don Quijote no sabía que yo le estaba siguiendo.

Le seguí durante varias horas y estaba exhausto. Por fin, en la distancia, vi a don Quijote. Observé que don

Quijote estaba hablando con dos hombres. Parecía que la conversación era intensa. Fui rápidamente hacia los hombres para escuchar la conversación. Observaba todo en secreto.

Los hombres tenían un sirviente… un chico. Era obvio que el sirviente estaba muy asustado. Él miró a don Quijote y exclamó:

– ¡Ayúdeme, por favor!

– ¿Qué pasa? –le preguntó don Quijote.

– Soy Andrés, el sirviente de estos hombres crueles. Trabajo para ellos, pero no quieren pagarme mi salario.

– Bueno –le dijo don Quijote–, soy un caballero importante, así que puedo ayudarte.

Andrés me parecía muy asustado. Era obvio que quería escapar de esos dos hombres y que necesitaba ayuda. Yo quería ayudarle, pero ¿qué podía hacer? Yo no era un caballero. ¡Don Quijote era el caballero!

Yo estaba esperando que don Quijote le ayudara a Andrés. Yo estaba muy asustado, pero don Quijote... no. Don Quijote parecía estar muy contento. Miró a Andrés y anunció que tenía una idea brillante.

– Hay una solución simple –le dijo a Andrés–. La solución es... ¡el honor!

Don Quijote miró a los dos hombres y les preguntó:

– ¿Vais a matar al sirviente?

Los hombres se miraron. Entonces, le respondieron a don Quijote:

– No... no. ¡Claro que no! Somos hombres buenos. No vamos a matarle. Andrés es nuestro sirviente favorito.

– Excelente –respondió don Quijote–. ¿Vais a pagarle su salario?

– ¡Claro! Vamos a pagarle.

– ¿Lo prometéis? –les preguntó don Quijote.

– Sí, sí... lo prometemos –le respondieron riéndose.

Andrés estaba asustado y ¡yo también! Me parecía que esos hombres no solo querían matar a Andrés, también querían matar a... ¡don Quijote! Andrés miró a don Quijote y exclamó:

– ¡No es verdad! Por favor, ¡ayúdeme! ¡No me quiero ir con ellos! ¡Me van a matar!

– ¡Cálmate, Andrés! Me prometieron que no te van a matar.

Yo observaba todo y ¡estaba confundido! ¿Don Quijote realmente les creía a esos hombres? ¿Realmente creía que esos hombres eran honestos? ¿Que tenían honor?

– Andrés, ya no hay problema –le dijo don Quijote–. No te van a matar. Te van a pagar. Me lo prometieron. No es posible hacer una promesa falsa porque todos los hombres tienen honor.

Andrés miró a don Quijote con desesperación, pero don Quijote le ignoró. El caballero estaba convencido de que los hombres eran honestos y honorables.

– Señores, sois hombres honestos –les dijo don Quijote–. Tenéis honor. Tenéis que tomar en serio esa promesa.

– ¡Claro! –le respondieron los hombres riéndose.

Parecía que don Quijote estaba contento, pero ¡yo estaba irritado! Los hombres no eran honestos. En verdad, eran hombres que no entendían el concepto del honor. Era obvio que los hombres no iban a pagarle al sirviente y también que iban a matarle.

Unos minutos después, don Quijote se fue y continuó su camino con Rocinante. Yo miré a los hombres. Ellos esperaron un minuto mientras observaban a don Quijote. Yo también me fui. No quería saber cuál iba a ser el destino de Andrés.

Capítulo 4
El honor

Seguí a don Quijote durante una hora. Mientras montaba, pensaba en la situación de Andrés. Yo quería ayudarle, pero no podía. Don Quijote era el caballero, yo no. De repente, vi que don Quijote estaba en el camino hablando con dos hombres.

Escuchaba mientras don Quijote les decía a los hombres:

— Nobles señores, solo tenéis que declarar que mi princesa, Dulcinea del Toboso, es la mujer más bella de todo el mundo.

Uno de los hombres le respondió, riéndose:

– Si es verdad que Dulcinea del Toboso es la mujer más bella del mundo, ¿dónde está? No es posible que un hombre como usted tenga a la mujer más bella del mundo por esposa.

– ¿Dónde está? –exclamó don Quijote, sorprendido—. ¿Por qué necesitáis verla? Ella es la más bella de todas. ¡Es la verdad! ¡Os lo prometo!

Observé que los hombres estaban riéndose más, porque lo que decía don Quijote era absurdo. Dulcinea era mi vecina y, en realidad, ella no era bella. Pero para don Quijote, Dulcinea era bella y esa era la verdad.

– Mire –le dijo el hombre–, no es posible que ella sea una mujer muy bella. Creo que, en realidad, ella es monstruosa. ¡Es posible que la princesa Dulcinea del Toboso sea la mujer más monstruosa de todo el mundo!

El honor de la princesa Dulcinea era muy importante para don Quijote. ¡Estaba furioso! Los hombres se miraron el uno al otro y se rieron. Yo estaba muy nervioso porque sabía que don Quijote iba a defender el honor de su princesa.

De repente, don Quijote le dijo «¡Ya!» a su caballo. En ese momento, me pareció que iba a atacar a los dos hombres. ¡No podía creerlo! ¡Don Quijote les atacó! Los hombres se asustaron y se cayeron. ¡PUM! ¡PUM! Don Quijote les atacó con furia. Se cayó de su caballo, pero continuó atacando a los hombres.

Después de la sorpresa inicial, los hombres atacaron a don Quijote. ¡Le atacaron agresivamente! Le atacaron durante unos minutos y, después del ataque, el caballero parecía estar muerto. Los hombres se rieron y se fueron rápidamente.

Corrí hacia don Quijote. *«¿Está muerto?»*, me pre-

gunté. Llegué a donde estaba y exclamé:

> – ¡Don Quijote! Soy yo, Sancho Panza, su vecino del pueblo y su dedicado amigo. ¿Le puedo ayudar?

Don Quijote no me respondió.

> – Don Quijote –repetí con pánico–, ¿está bien?

Don Quijote parecía estar inconsciente o... muerto. En ese momento, escuché «Uf, ay». Era don Quijote. ¡No estaba muerto!, pero su condición era **grave**. «Se va a morir?», me pregunté. Tenía que salvar a don Quijote.

> – ¡Usted necesita un doctor! Tenemos que regresar a su casa en La Mancha –le dije.

Don Quijote no podía responder. Entonces, con mucha dificultad, le subí[1] a mi burro y me fui caminando en dirección a La Mancha con el burro, con Rocinante y con mi vecino.

[1]*le subí - I put him upon*

Capítulo 5
El escudero

Cuando llegamos a su casa, don Quijote estaba en condición crítica. Su sirvienta y su sobrina corrieron hacia nosotros y se asustaron.

– ¡Ay! ¿Qué pasó? ¿Está muerto? –me preguntó su sobrina.

– No, no está muerto, pero está en condición crítica. ¡Necesita ayuda!

– ¡Esta situación es absurda! –exclamó su sobrina–. ¿Qué pasó?

– Don Quijote estaba defendiendo el honor de su princesa, Dulcinea del Toboso, y dos hombres le atacaron.

– ¿Defendiendo el honor de su princesa? –respondió su sobrina riéndose–. Don Quijano no tiene una princesa. ¿Qué dice usted? Usted es una influencia negativa.

– Yo no tengo la culpa de esto.

– Creo que esta situación es la culpa de esos libros que tiene don Quijano –dijo la sirvienta–. Se ha vuelto loco por leer día y noche.

– Tenemos que destruir los libros –exclamó la sobrina.

Esa idea me ofendió. Leer era muy importante para don Quijote.

– Señorita –le dije a la sobrina–, ¿usted cree que
es buena idea destruir los libros favoritos de
don Quijote?

Ella no me respondió. Se fue corriendo hacia la casa
para buscar los libros. Con la ayuda de la sirvienta, entré
a la casa con don Quijote. Él se durmió inmediatamente,
y la sirvienta fue a ayudar a la sobrina de don Quijote.

Mientras él dormía, yo observaba a las dos mujeres que estaban tomando sus libros y destruyéndolos. Don Quijote ya no iba a poder leer sus libros favoritos. Iba a estar muy, muy triste.

No quería ver más. Esto era una injusticia. Pero, ¿qué podía hacer? Decidí regresar a mi casa. Cuando llegué, mi familia estaba dormida. Intenté dormir, pero no podía… estaba pensando en mi vecino, don Quijote, y en los libros que las mujeres estaban destruyendo.

De repente, escuché una conmoción. Me asusté. ¿Quién estaba enfrente de la casa? Nervioso, fui a investigar. ¡Eran don Quijote y Rocinante!

– Don Quijote –exclamé felizmente–, ¡usted no está muerto! ¡Qué bueno! ¿Ya se ha recuperado?

– ¡Claro! –me respondió don Quijote–. Sancho Panza, vecino, escúchame bien. ¡Es importante que salgamos en este momento!

«¡Fenomenal!», pensé. «¡Don Quijote quería que nosotros saliéramos juntos!».

– Bueno, don Quijote – le respondí, feliz–, ¿nos vamos a una aventura?

– ¡Claro que sí! –me dijo don Quijote–. ¡Vámonos!

¡Iba a salir con don Quijote! ¡Por fin, podía participar en una aventura!

Él me miró y me dijo:

– Sancho, sabes que soy un caballero.

– Sí, yo lo sé –le respondí.

– Y, ¿qué necesitan los caballeros?

– No lo sé –le respondí.

– Pero Sancho, es obvio –me respondió riéndose–. ¡Todos los caballeros necesitan un escudero! ¿Quieres ser mi escudero?

– Un escudero... ¡qué honor! –le respondí–. Pero no soy una persona educada. No sé leer, sabe...

– Amigo Sancho, los escuderos no necesitan leer. No necesitan educación –me dijo don Quijote–. ¡Solo necesitas ayudarme con mis aventuras!

¡Don Quijote me había llamado «amigo»! ¡Quería que fuera su escudero! Era el trabajo perfecto para mí. Pensé en el trabajo y le pregunté:

– Esto es un trabajo, ¿no?

– Sí, un trabajo importante.

– Entonces, ¿me va a pagar?

– Buena pregunta, Sancho –me respondió–. Los escuderos no necesitan un salario, solo necesitan ¡honor! El honor es lo más importante.

– Para mí, el honor no es suficiente –le dije al caballero.

Después de pensar por un momento, don Quijote me miró y me respondió:

– Sancho, al final de nuestras aventuras voy a darte una isla. ¡Puedes ser el gobernador de la isla!

«*¿Una isla?*», pensé. ¡A mí me parecía bien!

– ¡Fenomenal! –le dije–. Voy a ser un buen amigo y un escudero excelente. ¡Voy a ayudarle en sus aventuras!

Salimos juntos en la noche, don Quijote en Rocinante y yo en mi burro.

Capítulo 6
Los gigantes

Montamos toda la noche y todo el día buscando una aventura. Ahora que era un escudero, estaba impaciente por participar en una.

Montamos durante muchas horas. De repente, don Quijote exclamó:

> – ¡Amigo Sancho! ¿Ves a los gigantes en el campo? Vamos a tener una batalla con esos gigantes por el honor de Dulcinea.

«¿Gigantes... en el campo?», pensé. *«¡Imposible!»*. Fui rápidamente a donde estaba don Quijote y vi que había un campo grande. Me parecía un campo normal.

> – ¿Dónde están los gigantes, señor? –le pregunté.

En el campo había muchos molinos de viento[1], impresionantes, con aspas[2] grandes, pero no había gigantes.

[1] *viento - wind*
[2] *aspas - blades of a windmill*

– Mira, amigo Sancho. Están esperando en el
campo. Quieren atacarnos. ¿Ves sus enormes
brazos?

– No son gigantes, son molinos de viento, señor.
Son los molinos de viento de La Mancha.

Don Quijote exclamó:

– Amigo Sancho, ¿ves molinos de viento? ¡No lo
son! ¡Son gigantes! Son grandes y feroces, y

tienen brazos enormes…, pero no me asustan.
¡Voy a atacarles en honor a mi princesa!

Era obvio que lo que don Quijote veía era una ilusión. Yo no podía ni ver ni imaginarme lo que él veía.

– ¿Son gigantes? –le pregunté, confundido–. ¿No son molinos de viento?

Miré hacia el campo, pero no vi gigantes. Quería ver lo que veía mi vecino, pero solo veía molinos de viento. Les observé por unos minutos, pero no vi gigantes. Finalmente, le dije a don Quijote:

– Señor, sé que no soy un caballero como usted y que no soy educado… pero la verdad es no veo ni un gigante. Me parecen molinos de viento. ¡No están vivos! No tienen brazos… ¡tienen aspas!

Don Quijote no me creía. Parecía estar frustrado. Él miró hacia los molinos de viento y, entonces, me miró a mí.

– Sancho Panza, mi amigo. No eres educado como yo. Estos sí son gigantes. Si estás asustado, ¡puedes irte! Yo voy a entrar en una batalla con estos gigantes.

Don Quijote no esperó una respuesta. Se fue a galope hacia los molinos de viento. Yo observaba con horror. Le gritaba a don Quijote que esos no eran gigantes, pero don Quijote no me escuchaba. Momentos después, don Quijote llegó a los molinos de viento.

– ¡Gigantes, no me asustáis. Sois cobardes y horribles criaturas –les gritó don Quijote.

De repente, las aspas de los molinos de viento empezaron a moverse. Don Quijote les vio y les gritó:

– ¡Vuestros brazos grandes no me asustan! ¡Voy a atacaros por el honor de mi princesa, Dulcinea del Toboso!

Don Quijote se fue a galope hacia un molino de viento. Él levantó su lanza y atacó al molino. En ese momento, el aspa del molino se movió con el viento y levantó a don Quijote y a Rocinante en el aire. Se elevaron en el aire por unos segundos y, entonces, ¡PUM!... se cayeron.

Como escudero, yo tenía que ayudarles. Monté en mi burro a galope hacia don Quijote. Me parecía que don Quijote y Rocinante estaban muertos.

– ¡Señor! ¡Señor! –grité–. ¿Está bien?

Don Quijote me miró e intentó levantarse. Asustado, le dije:

– Señor, ya le dije… ¡Estos son molinos de viento, no son gigantes! ¿Ya ve?

Me dijo, riéndose:

– Amigo Sancho, no entiendes cómo son las batallas porque eres una persona simple. Lo que ves ahora es un encantamiento³. Para ti, los gigantes parecen molinos de viento, pero esa no es la verdad.

«¿Me he vuelto loco?», pensé. No veía gigantes, solo veía molinos de viento. «¿Es posible que haya un encantamiento? Es verdad, no soy educado…Y sí, soy un simple escudero». Confundido, le respondí a don Quijote:

– Sí, don Quijote, es verdad, no entiendo…No entiendo porque soy un simple escudero.

³encantamiento - spell; curse

Capítulo 7
El funeral

Estaba exhausto por todo el estrés de la aventura, así que dormí muy bien toda la noche. Cuando me levanté, vi que don Quijote no había dormido. Caminaba en círculos y estaba muy concentrado. *«¿Cómo era posible que él no necesitara dormir?»*, me pregunté. Me parecía que no dormía durante el día ni durante la noche. Caminé hacia él y le pregunté:

– Don Quijote, ¿durmió usted anoche?

– ¡Los caballeros no duermen! Hay más honor para los caballeros que no duermen.

– Entonces, ¿cuándo podemos comer? –le pregunté–. ¡Tengo hambre!

Don Quijote me miró, y sorprendido, me respondió:

– ¿Comer? ¿Quieres comer? ¡Los caballeros no duermen y no comen! Hay más honor para los caballeros que no comen ni duermen tampoco[1].

– Pero don Quijote, no soy un caballero. ¡Solo

[1] tampoco - either

soy un escudero! El honor no me importa...
para mí es más importante dormir y comer.

Don Quijote me ignoró y se fue por el camino.
Monté en mi burro y seguí a don Quijote, pero ¡realmente necesitaba comer!

Continuábamos por el camino, cuando vi a la distancia un grupo de personas. Había muchos hombres, y

parecía que todos estaban llorando. No sabía por qué lloraban, pero en ese momento, no me importó. ¡Parecía que esos hombres tenían comida!

Cuando llegamos a donde estaban los hombres, vi que todos eran cabreros². Hablamos con uno de ellos y el cabrero nos explicó:

– Miren, todos estos cabreros están tristes porque nuestro amigo, Grisóstomo, ha muerto.

– Ay, ¡lo siento! –le respondí–. ¿Cómo murió?

– Murió por culpa de una cabrera –me dijo con tristeza.

– ¿Murió por culpa de una cabrera? –pregunté sorprendido.

El cabrero no me respondió inmediatamente. Caminó hacia las otras personas que se habían juntado para comer. Muy triste, el cabrero continuó:

– Sí, murió por culpa de una cabrera llamada Marcela. Grisóstomo estaba enamorado de Marcela. Ella es muy bella e inteligente. Todos los cabreros aquí estamos enamorados de ella.

– ¡Marcela es la mujer más bella del mundo!

²cabreros - goat herders

43

Pero... ella quiere vivir independientemente con sus cabras –me dijo otro cabrero.

En ese momento, don Quijote interrumpió la conversación:

– Perdón, señores cabreros, Marcela no es la mujer más bella del mundo. ¡Dulcinea del Toboso es la mujer más bella del mundo!

Los cabreros, confundidos, miraron a don Quijote. Era obvio que no sabían cómo responderle. Unos minutos después, los cabreros insistieron en que fuéramos al funeral de Grisóstomo.

Uno de los cabreros empezó a hablarle al grupo:

– Grisóstomo murió por culpa de Marcela, la cabrera bella pero cruel. Aquí tengo su poema, Poema desesperado, que les voy a leer...

El cabrero intentó seguir con el funeral, pero no pudo porque Marcela apareció en la montaña. Todos los cabreros miraron hacia donde estaba Marcela. De repente, uno de los cabreros le gritó:

– ¡Marcela! ¿Cómo puedes estar aquí en este funeral? ¡Eres una mujer cruel y tus acciones causaron la muerte de nuestro amigo, Grisóstomo!

Marcela respondió irritada:

– Cabreros simples, les quiero decir que la muerte de Grisóstomo no fue por culpa mía. Ustedes dicen que tengo que enamorarme de todos los que se enamoran de mí, pero eso sería imposible.

Todos los cabreros se hablaron los unos a los otros,

45

y Marcela continuó:

> – Soy una mujer independiente. Quiero vivir sola... con mis cabras en las montañas. No pueden decir que soy cruel, ni que soy una asesina. Eso no es verdad.

De repente, Marcela se fue corriendo. ¡Muchos cabreros empezaron a seguir a la cabrera! Don Quijote los observaba y estaba asustado. Él levantó su lanza rápidamente y les gritó:

> – ¡Cabreros, no corráis! No sigáis a Marcela porque ella os dijo la verdad.

> – Pero, ¡la muerte de Grisóstomo es su culpa! –le gritó un cabrero.

> – No… no, cabrero simple, Marcela no tiene la culpa de la muerte de Grisóstomo. Ella es una mujer independiente y tenemos que pensar en su honor.

Los cabreros respetaron lo que les dijo don Quijote y no siguieron a Marcela. Continuaron con el funeral, y don Quijote parecía estar muy feliz por haber protegido[3] el honor de la cabrera, Marcela.

[3]*por haber protegido - for having protected*

Capítulo 8
El ejército

Después del funeral, don Quijote estaba muy feliz.

– Soy un caballero excelente, ¿no? –me preguntó don Quijote contento.

– Don Quijote, usted es un caballero maravilloso. ¡Defendió muy bien el honor de Marcela!

– Soy un caballero dedicado. Amigo Sancho, tú sabes que mi trabajo es muy importante, pero lo más importante es el honor de mi princesa, Dulcinea.

– Claro –le dije–. ¿Ahora qué vamos a hacer?

– Ahora, amigo Sancho, vamos a buscar otra
aventura. ¡Vámonos!

Montamos por muchas horas cuando, de repente, se
hizo muy difícil ver el camino. Hacía mucho viento y
nos encontramos con una polvareda[1]. Don Quijote me
dijo:

[1]polvareda - dust cloud

– Sancho, ¡este es mi día de gran honor!

– ¿Qué? –le pregunté confundido.

– Ahora, todo el mundo va a saber que yo soy un gran caballero.

– ¿Por qué? –le pregunté.

– ¿No ves la polvareda?

– Claro.

– ¡Aquí tenemos la polvareda de un ejército[2] grande!

– ¿Un ejército? –le pregunté confundido.

– ¡Sí, Sancho! ¡Mira! Hay muchos soldados marchando en formación. ¡Escucha! –insistió don Quijote–. ¡Tengo que atacar al ejército y defender La Mancha! –exclamó con emoción.

No entendía lo que estaba pasando. Me parecía que esa era una polvareda normal. *«¡Tiene que ser otro encantamiento!»*, pensé.

– ¡Creo que esto es un encantamiento! –le dije a don Quijote–, como el de los molinos de viento.

[2]*ejército - army*

– ¿No ves el ejército? –me preguntó don Quijote–. ¡Escucha! Están marchando.

– No, señor. ¡Yo no veo un ejército! –le respondí–. ¡Solo veo y escucho ovejas!

– Este encantamiento es enorme, amigo Sancho –me respondió–. Créeme. Esto es un ejército. ¡Tengo que defender La Mancha!

De repente, don Quijote se fue a galope hacia la polvareda. Yo estaba confundido. *«¿Don Quijote realmente está loco?»* Ya no sabía qué creer. Le grité a don Quijote:

– ¡No! Don Quijote, ¡por favor! Eso no es un ejército. ¡Son ovejas!

Pero don Quijote no me respondió. Escuché a don Quijote gritar:

– ¡Escuchad, mis enemigos! ¡Vais a morir!

Un momento después, don Quijote levantó su lanza y mató una oveja, y después otra…, y otra. Rápidamente, don Quijote mató muchas ovejas. Ahora podía ver que don Quijote se había vuelto… ¡loco! Él realmente creía que las ovejas eran sus enemigos. ¿Qué podía hacer?

Los pastores observaban con horror lo que hacía don Quijote. Ellos le gritaron:

– ¡Loco! ¡No mates a los animales! ¿Qué estás haciendo?

Pero don Quijote continuó matando a los animales como si fueran un ejército enemigo. Rápidamente, uno de los pastores le tiró una roca grande a don Quijote, pero él no la vio y continuó matando ovejas. Entonces, los otros pastores también le tiraron rocas a don Quijote.

¡Pum, pum, pum, pum, pum! Finalmente don Quijote se cayó de su caballo.

Cuando los pastores vieron que don Quijote se había caído, corrieron con sus ovejas en otra dirección. Querían escapar del loco asesino.

«¿Estaba realmente loco don Quijote?», pensé. Monté en mi burro hacia don Quijote y cuando llegué a

donde estaba el caballero, le dije:

> – ¿Ahora ve, señor? Usted no atacó a un ejército.
> No había soldados. Atacó a unas ovejas.

Don Quijote intentó responderme, pero le era difícil hablar. Cuando él intentó hablar, se le cayó un diente y, entonces, se le cayó otro. ¡Se le cayeron muchos dientes! Miré sus dientes y me asusté… ¡Las rocas se los habían destruido!

> – Ay, Sancho… mi simple amigo –me dijo don
> Quijote con una pronunciación muy rara–. Es
> obvio que no entiendes la situación. ¡Era otro
> encantamiento! Ellos parecían ovejas, pero en
> realidad eran soldados, eran enemigos.

No quería frustrar más a don Quijote, así que solo le respondí:

> – Ahora sí entiendo. Gracias, señor.

Don Quijote no podía levantarse. Estaba sufriendo. Intenté ayudarle y le preparé un té medicinal. Don Quijote se tomó todo el té y, entonces, yo examiné sus dientes destruidos. ¡Ahora solo tenía 4 dientes! Mientras yo los examinaba, don Quijote… ¡vomitó!

¡Uy! Me dieron náuseas… Inmediatamente después, yo también vomité. ¡Vomité en la armadura de don Quijote! Fue un momento terrible para un escudero y su caballero.

Capítulo 9
¿El fin de la aventura?

Don Quijote se había recuperado lo suficiente para montar a Rocinante y seguimos el camino, buscando otra aventura. Montamos durante una hora y en la distancia vimos a un chico. Cuando llegamos a donde estaba el chico, vimos que él caminaba con muletas[1]. Caminar le era difícil y don Quijote quería ayudarle. Pero al ver a don Quijote, el chico empezó a gritar:

> – ¡Don Quijote... mi enemigo! ¡Usted es el hombre más terrible de todo el mundo!

El caballero se sorprendió. Estaba confundido y le dijo al chico:

> – Eres Andrés, el sirviente, ¿no? ¿Qué pasa?

Furioso, el chico le siguió y le insultó a gritos, pero como don Quijote era un caballero, los insultos no le ofendieron. Él sinceramente quería ayudar al chico.

[1]muletas - crutches

– ¿Por qué caminas con muletas?

– Usted tiene la culpa – le respondió Andrés–.
¡Estoy caminando con muletas por su culpa!

– ¡¿Qué yo tengo la culpa?! –le preguntó don
Quijote sorprendido–. ¿Por qué?

– Usted me abandonó con los hombres que planeaban matarme. Me abandonó y ellos me atacaron. ¡Cobarde! Usted no es un caballero. Los caballeros no existen.

En ese momento, don Quijote parecía estar muy triste. No sabía qué decirle a Andrés.

– Andrés –empezó don Quijote–, aaaa… yo… aaa… lo siento mucho –le dijo finalmente–. No entiendo por qué te atacaron. Me prometieron que no te iban a matar. Una promesa es una promesa.

– No existen las promesas ni el honor.

– Sí, existen –le respondió don Quijote–. Yo soy un caballero honorable y te voy a ayudar.

– ¡No me ayude, don Quijote! –le gritó Andrés–. Usted no es un caballero y ¡no quiero su ayuda!

Yo observaba la situación. Andrés estaba muy frustrado, y don Quijote estaba muy triste. Yo quería ayudar, pero yo solo era un escudero. ¿Qué podía hacer un simple escudero? Finalmente le pregunté a Andrés:

– Andrés, ¿quieres comida?

Andrés me miró y después miró la comida. No me respondió. Simplemente tomó la comida y se fue caminando[2] con las muletas. Don Quijote miraba al chico y, sorprendido, me dijo:

> – Creo que esto es otro encantamiento, amigo Sancho.

[2]*se fue caminando - he left walking, walked away*

– Lo siento, don Quijote, pero creo que esta es la realidad.

Don Quijote me miró con tristeza. En ese momento, yo también estaba muy triste y no sabía qué hacer para ayudarle. Entonces, don Quijote y yo empezamos a seguir la ruta a casa y mientras caminábamos, me dijo:

– Amigo Sancho, quiero ayudar a las personas. Realmente quiero ser un caballero honorable…, pero no sé si es posible.

Capítulo 10
La realidad

Don Quijote y yo montábamos juntos, en silencio. Yo estaba pensando en mi familia y estaba triste porque ya no íbamos a ser aventureros. También estaba contento porque iba a ver a mi familia.

Miré a don Quijote. Él estaba muy, muy triste.

– Don Quijote, no esté triste. Vamos a casa. Vamos a ver a nuestras familias y a nuestros amigos. También, usted va a ver a su princesa, Dulcinea.

– Amigo Sancho, quiero tener aventuras. Quiero ayudar a las personas y honrar a Dulcinea. Quiero ser un excelente caballero, pero no lo soy.

Don Quijote continuó con un tono triste:

– Sancho, ahora entiendo que no había encantamientos, que los molinos de viento no eran gigantes y que las ovejas... las ovejas no eran mis enemigos. Y, Sancho, lo más triste de todo es que no ayudé a Andrés... que por mi culpa él tiene que caminar con muletas.

Miré a don Quijote y pude ver que ahora él necesitaba mi ayuda. Finalmente, tuve la oportunidad de ser un buen escudero.

– Don Quijote –le dije–, usted cree que no ayuda a las otras personas…, pero eso no es verdad.

Don Quijote me miró confundido, y yo continué:

– Considere a la cabrera, Marcela. Usted la ayudó. Ahora ella vive independientemente en las montañas. Y considere al chico, Andrés. No ayudó a Andrés cuando estaba con los hombres horribles, pero le ayudamos con la comida.

– ¿En serio? –me preguntó don Quijote–. ¿Realmente crees que yo soy un buen caballero?

– Y, don Quijote –le dije finalmente–, ¿usted sabe a quién ha ayudado más?

– No... no lo sé –él me respondió.

– Me ha ayudado a mí más que a las otras personas. Me dio un trabajo respetable. También me dio la oportunidad de ser un gran aventurero. Gracias a usted, he tenido muchas aventuras. Ahora soy una persona importante. Es un honor ser su escudero.

Miré a don Quijote, pero él no me vio. Miraba hacia otra dirección... estaba llorando. ¡Los caballeros no lloran! Yo no quería mirarlo. Era obvio que él necesitaba estar solo.

– Gracias amigo Sancho. Eres un buen escudero y un buen amigo.

Montamos en silencio, yo en mi burro y don Quijote en Rocinante. Miré el campo y, finalmente, entendí que La Mancha era la comunidad más bella del mundo.

Estaba contento. Mi vida ya no era una vida simple. Ahora tenía una vida aventurera con el amigo más interesante de todo el mundo: don Quijote de La Mancha.

Glosario

A

a - to

abandonó - s/he abandoned

absurda(o) - absurd

acciones - actions

adicto - addicted

agitada - agitated

agresivamente - aggressively

ahora - now

aire - air

al - to the

amigo(s) - friends

animales - animals

anoche - last night

antigua - old

anunció - s/he announced

apareció - s/he appeared

aquí - here

armadura - armor

asalto - attack

asesino/a - murderer

así que - so

aspa(s) - blades (of a wind-mill)

asustado - scared

(no me) asustáis - you (don't) scare (me)

(se) asustan - they (get) scared

(se) asustaron - they (got) scared

(me) asusté - I (got) scared

atacando - attacking

atacar - to attack

atacarlos - to attack them

atacarnos - to attack us

atacaron - they attacked

atacaros - to attack you

atacó - s/he attacked

ataque - attack

atentamente - attentively

atractiva - attractive

aventura(s) - adventure(s)

aventurero(a) - adventurous

aventureros - adventurers

ay - oh

ayuda - s/he helps

(ha) ayudado - (s/he has) helped

ayudamos - we helped

ayudar - to help

(que) ayudara - (that) he help

ayudarle - to help him

ayudarles - to help them

ayudarme - to help me

ayudarte - to help you

(no me) ayude - (don't) help (me)

ayudé - I helped

ayúdeme - help me

ayudó - s/he helped

B

batalla(s) - battle(s)

bella(s) - beautiful

bien - good

bisabuelo - great-grandfather

brazos - arms

brillante - brilliant

buen - good

buena(s) - good

bueno(s) - good

burro - donkey

buscando - looking for

buscar - to look for

busco - I look for

buscó - s/he looked for

C

caballería - chivalry

caballero(s) - knight(s)

caballo - horse

cabras - goats

cabrera/o(s) - goat herder(s)

(se había) caído - (s/he had) fallen

cálmate - calm down

caminaba - s/he walked, was walking

caminábamos - we walked, were walking

(había) caminado - s/he had walked

caminando - walking

caminar - to walk

caminas - you walk

caminé - I walked

camino - I walk

caminó - s/he walked

campo - field; countryside

casa - house

castillo - castle

causaron - they caused

(se) cayeron - they fell (down)

(se le) cayeron - they fell (out)

(se) cayó - s/he fell (down)

ceremonia - ceremony

chico - boy

circulando - circulating

círculos - circles

claro - of course

clientes - customers

cobarde(s) - coward(s)

colección - collection

come - s/he eats

comen - they eat

comer - to eat

comida - food

como - since; as, like

cómo - how

completa - complete

completamente - completely

comunidad - community

con - with

concentrado - concentrated

concepto - concept

condición - condition

confirmaron - they confirmed

conflicto(s) - conflict(s)

confundido(s) - confused

conmoción - commotion

considere - consider

contento - content, happy

continuábamos - we continued

continuaron - they continued

continué - I continued

continuó - s/he continued

convencido - convinced

conversación - conversation

(se había) convertido - (s/he had) converted, become

convertirse - to convert, become

corráis - you all run

corrí - I ran

corriendo - running

corrieron - they ran

cree - s/he believes

créeme - believe me

creer - to believe

creerlo - to believe it

crees - you believe

creía - s/he believed

creo - I believe, think

criaturas - creatures

crítica - critical

cruel(es) - cruel

cuál - which
cuando - when
cuándo - when
culpa - fault
curioso - curious

D

darle - to give to him
darte - to give to you
de - of, from
decía - s/he said, told
decidí - I decided
decidido - decided
decidió - s/he decided
decir - to say, tell
decirle - to tell him
decisión - decision
declaración - declaration
declarar - to declare
dedicado - dedicated
defender - to defend
defendiendo - defending
defendió - s/he defended
del - of the; from the
desaparecido - disappeared
desesperación - desperation
desesperado - desperate

después - after, afterwards
destino - destiny
destruido(s) - destroyed
destruir - to destroy
destruirlos - to destroy them
destruyendo - destroying
destruyéndolos - destroying them
día(s) - day(s)
dice - s/he says
dicen - they say
diente - tooth
dientes - teeth
dieron - they gave
difícil - difficult
dificultad - difficulty
dígame - tell me
dije - I said
dijo - s/he said
dio - s/he gave
dirección - direction
distancia - distance
distinguir - to distinguish
doctor - doctor
don - a title of respect, similar to Mr.
donde - where
dónde - where

dormí - I slept

dormía - s/he, I slept, was sleeping

dormido(a) - asleep

dormir - to sleep

dos - two

duerme - s/he sleeps

duermen - they sleep

durante - during

durmió - s/he slept

E

educación - education

educado(a) - educated

ejército - army

el - the

él - he

(se) elevaron - they rose up

ella - she

ellos - they

emoción - emotion

emocionante - exciting

empezamos - we started

empezaron - they started

empezó - s/he, it started

empleada - employee

en - in, on

enamorado(s) - in love

(se) enamoran - they fall in love

enamorarme - to fall in love

encantamiento(s) - enchantment(s), spell(s)

(nos) encontramos - we encountered, found (ourselves)

encontró - s/he found

enemigo(s) - enemy

enfrente - in front

enorme(s) - huge

entendí - I understood

entendía - s/he, I understood

entendían - they understood

entera - whole

entiendes - you understand

entiendo - I understand

entonces - then

entrar - to enter

entré - I entered

entusiasmo - excited

episodio - episode

era - s/he, it was

eran - they were

eres - you are

es - s/he, it is

esa - that

esas - those

escapar - to escape

escucha - s/he listens to

escuchaba - s/he listened to

escuchad - listen

(había) escuchado - (had) listened to, heard

escúchame - listen to me

escuchar - to listen to

escuché - I listened to

escucho - I listen, hear

escudero(s) - squire (assistant to a knight)

ese - that

eso - that

esos - those

esperando - waiting

esperar - to wait

esperaron - they waited

espero - I wait

esperó - s/he waited

esposa - wife

esqueleto - skeleton

esta - this

está - s/he, it is

estaba - s/he, it was

estaban - they were

estamos - we are

están - they are

estar - to be

estas - these

estás - you are

este - this

(no) esté - (don't) be

esto - this

estos - these

estoy - I am

estrés - stress

(como si) estuviera - as though he were

estuvo - s/he, it was

examinaba - s/he was examining

examiné - I examined

exasperada - exasperated

excelente - excellent

excéntrico - eccentric, crazy

exclamé - I exclaimed

exclamó - s/he exclaimed

exhausto - exhausted

existen - they exist

explicó - s/he explained

F

falsa - false

familia - family

familias - families

famoso - famous

fantasía - fantasy

favorito(s) - favorite(s)

feliz - happy

felizmente - happily

fenomenal - phenomenal

feroces - fierce

fin - end

final - final

finalmente - finally

forma - physical shape

formación - formation

frenéticos - frantic

frustrado - frustrated

frustrar - to frustrate

fue - s/he, it was; went

(que) fuera - (that) he be

(que) fuéramos - (that) we go

(como si) fueran - (as though) they were

(se) fueron - they took off, left

fui - I went

funeral - funeral

furia - fury

furioso - furious

G

galope - gallop

gigante(s) - giant(s)

gobernador - governor, ruler

gracias - thanks

gran - great

grande(s) - big

grave - grave, serious

gritaba - s/he was yelling

gritando - yelling

gritar - to yell

gritaron - they yelled

grité - I yelled

gritó - s/he yelled

gritos - shouts

grupo - group

H

ha - s/he has

(por) haber protegido - (for) having protected

había - s/he had (+ verb); there was, there were

habían - they had (+ verb)

hablamos - we talked, spoke

hablando - talking

hablándole - talking to him, her

hablar - to talk, speak

hablarle - to talk to him, her

hablaron - they talked, spoke

hablé - I talked, spoke

habló - s/he talked, spoke

hacer - to do, make

hacia - toward

hacía - he was doing

hacía viento - it was windy

haciendo - doing, making

hambre - hunger

hay - there is, are

(que) haya - (that) there is

he - I have

(se) hizo - it became

hombre - man

hombres - men

honestos - honest

honor - honor

honorable(s) - honorable

honrar - to honor

hora(s) - hour(s)

horribles - horrible

horror - horror

hotel - hotel

I

iba - s/he, I was going

íbamos - we were going

iban - they were going

idea - idea

ignoró - s/he ignored

ilusión - illusion

imaginarme - to imagine

imaginó - s/he imagined

impaciente - impatient

(no me) importa - it (doesn't) matter (to me)

(no le) importaba - it (didn't) matter (to him)

importante - important

(no me) importó - it (didn't) matter (to me)

imposible - impossible

impresionante(s) - impressive

inconsciente - unconscious

independiente - independent

independientemente - independently

influencia - influence

inicial - initial

injusticia - injustice

inmediatamente - immediately

insistieron - they insisted

insistió - s/he insisted

insultó - s/he insulted

insultos - insults

inteligente - intelligent

intensa - intense

intenté - I tried

intentó - s/he tried

interesante - interesting

interrumpió - s/he interrupted

investigar - to investigate

invitó - s/he invited

ir - to go

irme - to leave, go

irritado(a) - irritated

irte - to go

isla - island

J

ja - ha (laughter)

(se habían) juntado - (they had gotten) together

juntos - together

L

la - the

lanza - lance (a long wooden weapon used by a knight)

las - the

le - him; to him; her; to her

lee - s/he reads

leer - to read

leía - s/he, I was reading

les - them, to them

levantarse - to get up

(me) levanté - I got (myself) up

(se) levantó - s/he got up

leyendo - reading

leyó - s/he read

libro(s) - book(s)

(se) llama - s/he calls (him/herself)

(se) llamaba - s/he called (him/herself)

llamado(a) - called

(habían) llegado - (they had) arrived

llegamos - we arrived

llegó - s/he arrived

llegué - I arrived

lloraban - they were crying

lloran - they cry

llorando - crying

lo - it

lo que - that which

lo más - the most

lo siento - I am sorry

loco - crazy

lógico - logical

los - the

M

magnífico - magnificent, wonderful

maravilloso - marvelous

marchando - marching, walking

más - more

matando - killing

matar - to kill

matarle - to kill him

matarme - to kill me

(no) mates - (don't) kill

mató - s/he killed

me - me, to me

medicinal - medicinal

mi - my

mí - me

mía - mine

mientras - while

minuto(s) - minute(s)

mira - s/he looks at, watches

miraba - s/he was looking at, watching

mirarlo - to look at it

miraron - they looked at

mire - look

miré - I looked

miren - look

miró - s/he looked

mis - my

misión - mission

molino(s) - windmill(s)

momento(s) - moments

monstruosa - monstrous

montaba - s/he was riding

montábamos - we were riding

montado - mounted, riding

montamos - we ride

montaña(s) - mountain(s)

montar - to ride

monté - I rode

morir - to die

moverse - to move

movió - s/he moved

mucha(s) - much, a lot of, many

mucho(s) - much, a lot of, many

muerte - death

muerto(s) - dead

mujer - woman

mujeres - women

muletas - crutches

mundo - world

murió - s/he died

muy - very

N

náuseas - nausea

necesita - s/he needs

necesitaba - s/he needed

necesitáis - you all need

necesitan - they need

(que) necesitara - (that) he need

necesitas - you need

necesito - I need

negativa - negative

nervioso(a) - nervous

ni - nor

no - no, not

nobles - nobles

noche(s) - night(s)

nombre - name

normal - normal

nos - us

nosotros - we

nuestra(s) - our

nuestro(s) - our

nuevo - new

O

observaba - s/he, I observed

observaban - they observed

observé - I observed

obviamente - obviously

obvio - obvious

(le) ofendieron - they offended (him)

(me) ofendió - s/he offended (me)

oficial - official

opinión - opinion

oportunidad - opportunity

orden - order

os - you, to you

otro(a) - another, other

otros(as) - others

oveja(s) - sheep

P

pagar - to pay
pagarle - to pay him, her
pagarme - to pay me
pánico - panic
para - for; in order to
parecen - they seem
parecía - s/he, it seemed
parecían - they seemed
pareció - s/he, it seemed
partes - parts
participar - to participate
pasa - it happens
(había) pasado - (s/he, it had) passed, happened
pasando - happening
pasé - I passed, spent
pasó - s/he, it passed, spent
pastores - shepherds
patio - patio
pensaba - s/he thought
pensando - thinking
pensar - to think
pensé - I thought
pensó - s/he thought
perdón - pardon, excuse me
perfecto - perfect

permitió - s/he permitted
pero - but
persona - person
personas - people
persuasivo - persuasive
planeaban - they planned
podemos - we can
poder - to be able to
podía - s/he could
podría - s/he, I would be able to
poema - poem
polvareda - cloud of dust
por - for
porque - because
posible - possible
pregunta - question
pregunté - I asked
preguntó - s/he asked
preparé - I prepared
princesa(s) - princess(es)
principal - main
problema - problem
promesa(s) - promise(s)
prometéis - you all promise
prometemos - we promise(d)

prometieron - they promised

prometo - I promise

pronunciación - pronunciation

propietario - owner

protegido - protected

pude - I could

pudo - s/he could

pueblo - village

puede - s/he can, is able

pueden - they can, are able

puedes - you can, are able

puedo - I can, am able

punto - point

Q

que - that

qué - what

quería - s/he, it wanted

querían - they wanted

quién - who

(lo que) quiera - whatever you want

quiere - s/he wants

quieren - they want

quieres - you want

quiero - I want

R

rápidamente - rapidly, quickly

raro(a) - strange

realidad - reality

realmente - really, actually

recuperado - recovered

regresar - to return

reparó - s/he repaired

repetí - I repeated

repite - repeat

repitió - s/he repeated

respetaba - s/he, I respected

respetable - respectable

respetaron - they respected

responder - to respond

responderle - to respond to him, her

responderme - to respond to me

respondí - I responded

respondieron - they responded

respondió - s/he responded

respuesta - answer

rey - king

ridícula - ridiculous

riéndose - laughing

Glosario

(se) rieron - they laughed
roca(s) - rocks
rumor(es) - rumor(s)
ruta - route

S

sabe - s/he knows
saber - to know
sabes - you know
sabía - s/he, I knew
sabían - they knew
salario - salary
(que) salgamos - (that) we leave
salimos - we left
salió - s/he left
salir - to leave
salvar - to save
se - to/for oneself
sé - I know
(que) sea - (that) she be
secreto - secret
seguí - I followed
seguimos - we follow, followed
seguir - to follow
segundos - seconds
señor(es) - sir(s)

señora - ma'am
señorita - miss
ser - to be
sería - s/he, it would be
serio - serious
si - if
sí - yes
(no) sigáis - (don't) follow
siguiendo - following
siguieron - they followed
siguió - s/he, it followed
silencio - silence
similar - similar
simple(s) - simple
simplemente - simply
sinceramente - sincerely
sirviente(a) - servant
situación - situation
sobre - about
sobrina - niece
sois - you are
soldados - soldiers
solo(a) - alone
solución - solution
somos - we are
son - they are
sorprendido - surprised

(se) sorprendió - s/he was surprised

sorpresa - surprise

soy - I am

su(s) - his, her

subí - I went up, got up

suficiente - sufficient

sufriendo - suffering

T

también - also, too

tampoco - neither, nor

te - you

té - tea

tenéis - you (pl.) have

tenemos - we have

tener - to have

(que) tenga - (that) you have

tengo - I have

tenía - s/he, I had

tenían - they had

tenido - had

terrible - terrible

ti - you

tiene - s/he has

tienen - they have

tiraron - they threw

tiró - s/he threw

todo(a) - all

todos(as) - all; everyone

tomando - taking

tomar - to take

tomó - s/he took

tono - tone

trabajaban - they were working

trabajo - I work; job

triste(s) - sad

tristeza - sadness

tu(s) - your

tú - you (informal)

tuvo - s/he had

U

un(a) - a, one

uno - one

unos(as) - some, a few

usted - you (formal)

ustedes - you all

V

va - s/he goes

vais - you all go

valiente - valient, brave

vámonos - let's go

vamos - we go

van - they go

varias - various

vas - you go

ve - s/he sees

vecino(a) - neighbor

veía - s/he, I saw

veo - I see

ver - to see

verbal - verbal

verdad - truth

verdadero(a) - true

verla - to see it/her

ves - you see

vi - I saw

vida - life

viento - wind

vieron - they saw

vimos - we saw

vio - s/he saw

visto - seen

vive - s/he lives

vivía - s/he, it was living

viviendo - living

vivir - to live

vivos - alive

vomité - I vomited

vomitó - s/he vomited

voy - I go

(se ha) vuelto loco - (he has) gone crazy

vuestros - your

Y

ya - already

yo - I

More compelling reads to inspire and engage you!

40+ titles to choose from!

ALSO AVAILABLE AS E-LEARNING MODULES.

Fluency Matters®

Fluencymatters.com

About the Author

Katherine Lupton is a Spanish Instructor at Portland State University in Portland, Oregon, and previously served as an International Baccalaureate Examiner. Katherine received a Master of Science in Education from Johns Hopkins University, as well as a Master of Arts in Spanish from Portland State University. Katherine has been a language teacher for many years, and has taught in public schools in Madrid, Spain, Baltimore, Maryland, and most recently in Portland, Oregon. In 2015 Katherine was a finalist for the Sue Lehmann Excellence in Teacher Leadership Award, and in 2017, Katherine was named a finalist for the Kennedy Leadership Award for Excellence in Teaching. As a student of public schools herself, Katherine is an advocate for quality education in all public schools and works to assure that all of her students have access to opportunities to succeed. She also blogs and creates curriculum.